CW00734135

PAIDEIA
ÉDUCATION

VOLTAIRE

Candide

Analyse littéraire

© Paideia éducation.

22 rue Gabrielle Josserand - 93500 Pantin.

ISBN 978-2-7593-0015-0

Dépôt légal : Juin 2023

Impression Books on Demand GmbH

In de Tarpen 42

22848 Norderstedt, Allemagne

SOMMAIRE

BIOGRAPHIE

VOLTAIRE

François-Marie Arouet (le Jeune) dit Voltaire est né le 21 novembre 1694 à Paris. Il est l'un des plus célèbres représentants du courant des Lumières, dont font également partie Montesquieu, Diderot, D'Alembert, Condillac, Marmontel et Rousseau. Fils de notaire, le jeune Arouet aura quatre frères et sœurs, dont deux seulement survivront. Il perd sa mère à l'âge de 7 ans et est placé à 10 ans au Collège Louis-Le-Grand, où il fait de brillantes études.

Décidé à devenir homme de lettres, et non avocat, comme le voudrait son père, il mène une vie assez tapageuse et fréquente la société libertine du Temple. Ses talents oratoires et son don pour la versification lui ouvrent les portes de nombreuses sociétés, notamment celle des opposants au régent Philippe d'Orléans. Cet engagement lui vaut d'être emprisonné à la Bastille en 1717, où il reste enfermé pendant 11 mois. À sa sortie, il adopte un pseudonyme, « Voltaire », considéré comme l'anagramme de son nom, et publie sa première tragédie, *Œdipe*, qui connaît un grand succès. Il écrit en tout une soixantaine de pièces, aujourd'hui peu connues, dont on retient essentiellement *Zaïre* (1732), *Mahomet ou le fanatisme* (1741) et *Sémiramis* (1748).

En 1726, bien qu'il commence à remporter des succès littéraires, Voltaire se fait emprisonner de nouveau à la Bastille à la suite d'une querelle avec le chevalier de Rohan, dont la famille est puissante. Il n'en sortira qu'en échange de la promesse de s'exiler en Angleterre. Le pays le marque profondément et lui laisse une impression de liberté, de tolérance religieuse et de pluralisme politique absents de la France de l'Ancien Régime et qui constitueront pour lui un modèle idéologique durant toute sa vie. La plupart des autres philosophes des Lumières admiraient également la monarchie parlementaire anglaise.

Voltaire, après être revenu en France, mène une vie de

courtisan, mais ses ouvrages provocateurs le font tomber en disgrâce, notamment les *Lettres philosophiques* de 1734, où il aborde certains thèmes comme la religion, la politique, la science, les arts et la morale. Par la suite, nombre de ses écrits seront publiés clandestinement. En 1748, il publie *Zadig ou la destinée*. En 1750, Voltaire est invité à la Cour du roi Frédéric II de Prusse, qui le prend en amitié et le couvre d'honneurs. Il écrit beaucoup durant cette période, en particulier *Le Siècle de Louis XIV* et, en 1752, *Micromégas*. Mais en 1753, une brouille avec le « despote éclairé » contraint Voltaire à quitter la Prusse pour la Suisse. En 1759, il achève son conte philosophique le plus célèbre, *Candide ou l'Optimisme*.

Au cours des années suivantes, il prend parti lors de deux fameux procès : l'affaire Callas (1763), durant laquelle il publie son *Traité sur la tolérance à l'occasion de la mort de Jean Callas*, et celle du Chevalier de la Barre (1766). En 1764 paraît son *Dictionnaire philosophique portatif*, qui fit scandale au point même d'être condamné à Genève.

Ce n'est qu'en 1778 qu'il revient à Paris, acclamé par une foule enthousiaste. Sa popularité n'a jamais été aussi grande. Cependant il meurt peu après, le 30 mai de cette même année. Treize ans après sa mort, en 1791, sa dépouille est transférée au Panthéon.

PRÉSENTATION
DU CONTE

Candide ou l'Optimisme paraît à Genève en janvier 1759. Il s'agit donc d'une œuvre de maturité (Voltaire a 65 ans), sans conteste la plus connue et la plus étudiée de notre auteur. Le philosophe considérait ses contes comme relevant d'une écriture utilitaire et basse et trouvait ses tragédies en vers beaucoup plus nobles. Elles sont pourtant presque inconnues de nos jours, contrairement aux contes philosophiques, qui eux, ont traversé les siècles. *Candide* connut un grand succès dès sa parution et fut réédité plus de vingt fois du vivant de l'auteur. On le considère aujourd'hui comme un condensé de la philosophie de Voltaire et plus généralement de celle des Lumières. L'ouvrage aborde en effet la question de l'existence du mal, de l'intolérance et du fanatisme, mais aussi du voyage initiatique, de la religion, de l'esclavage, de la guerre et de la société idéale. Nous suivons ainsi un jeune homme naïf, fervent admirateur d'une philosophie optimiste, caricature de la pensée de Leibniz, confronté en une centaine de pages à toutes les formes de mal possibles et imaginables, à travers des aventures qui le mènent à une évolution spirituelle. Ce sont ainsi toutes les mœurs du XVIIIe siècle et tous ses travers qui sont ici dénoncés par l'ironie féroce et bien connue de Voltaire.

RÉSUMÉ DU CONTE

Chapitre 1

Ce chapitre nous présente Candide. C'est un jeune garçon, bon par nature et d'un esprit simple, qui vit au château du baron de Thunder-ten-tronckh, en Westphalie. Il est soupçonné être le fils naturel de la sœur du baron. Le château et ses habitants sont décrits de façon absurde : ainsi, le baron est puissant parce que sa demeure a une porte et des fenêtres et la baronne est très considérée car elle pèse 350 livres. On nous présente également le précepteur Pangloss, qui considère que tout est bien dans le meilleur des châteaux et dans le meilleur des mondes possibles, puis le fils et la fille du baron, Cunégonde, que Candide trouve très belle. Après avoir surpris Pangloss dans un buisson avec la femme de chambre, Cunégonde entreprend de séduire Candide, qui se laisse faire, mais ils sont surpris par le baron, qui chasse alors notre héros de son château à coups de pieds au derrière.

Chapitre 2

Candide, « chassé du paradis terrestre », erre jusqu'à la ville voisine. Il y rencontre deux hommes vêtus de bleu, qui lui offrent à déjeuner avant de le conduire jusqu'à leur régiment. Engagé de force, Candide connaît la vie des soldats dans l'armée bulgare, puis décide un jour en toute innocence d'aller se promener. Il est rattrapé et condamné à être fustigé 36 fois par tout le régiment qui compte 2 000 hommes. Alors qu'il subit son châtiment et qu'il est sur le point de mourir, le roi des Bulgares arrive et accepte de le gracier. Candide est alors soigné par un chirurgien, au moment même où le roi des Bulgares déclare la guerre au roi des Abares.

Chapitre 3

Le chapitre commence par une description des horreurs de la guerre, durant laquelle Candide se cache. Il s'enfuit et traverse plusieurs villages ravagés avant d'arriver en Hollande. Alors qu'il compte sur la charité des Hollandais, il se heurte partout où il va à des refus, en particulier de la part d'un pasteur et de son épouse. Il rencontre ensuite l'anabaptiste Jacques, l'un des rares personnages foncièrement bons du conte, qui l'accueille chez lui, le nourrit et lui donne de l'argent. Candide continue ainsi à croire que tout est pour le mieux dans le meilleur des mondes. À la fin du chapitre, il rencontre un miséreux défiguré et malade.

Chapitre 4

Candide reconnaît Pangloss dans le miséreux et le ramène chez l'anabaptiste Jacques. Pangloss raconte alors que le château du baron a été détruit durant la guerre entre les Bulgares et les Abares, que le baron et son fils ont été tués et toutes les femmes, y compris Cunégonde, violées et éventrées. Il explique ensuite que la maladie dont il souffre lui a été transmise par la femme de chambre, nommée Paquette, qu'il avait séduite, et se lance dans un discours philosophique à propos de cette maladie. Candide obtient ensuite de Jacques qu'il prenne Pangloss chez lui et celui-ci devient alors son teneur de livres. Les trois hommes sont ensuite obligés de partir pour Lisbonne, et au cours du voyage, Jacques, qui croit à l'existence du mal, s'oppose à la conception philosophique de Pangloss, pour qui tout est pour le mieux. À leur arrivée à Lisbonne, ils essuient alors une terrible tempête.

Chapitre 5

Alors que la confusion règne à bord du navire, Jacques sauve un matelot, tombe à la mer et disparaît, son débiteur ne faisant rien pour l'aider. Pangloss empêche Candide de le sauver en lui démontrant qu'il devait en être ainsi. Puis, seuls survivants du naufrage avec le marin sauvé par Jacques, ils regagnent la côte. Or, ils étaient à peine arrivés à Lisbonne qu'un terrible tremblement de terre détruit une partie de la ville. Le marin part alors pour profiter de la catastrophe et piller les ruines. Face à tout cela, Pangloss continue à affirmer que tout est pour le mieux dans le meilleur des mondes, mais il est entendu par un familier de l'Inquisition qui lui fait remarquer que selon sa conception, ni le péché originel, ni la liberté n'existent.

Chapitre 6

Les savants de Lisbonne ont alors l'idée de faire un autodafé pour empêcher les tremblements de terre. Les préparatifs absurdes de la cérémonie sont alors décrits et ridiculisés : un Biscayen, accusé d'avoir épousé sa commère, et deux Portugais, ayant refusé de manger le lard d'un poulet, sont brûlés vifs, puis Candide et son maître sont menés en prison (« dans des appartements d'une extrême fraîcheur, dans lesquels on n'était jamais incommodé du soleil »). Après une procession, Candide est fessé en cadence et Pangloss est pendu. Par la suite, « le même jour la terre trembla de nouveau avec un fracas épouvantable ». Alors que Candide, horrifié, commence à remettre en question la théorie du meilleur des mondes, une vieille femme lui dit de reprendre courage et de la suivre.

Chapitre 7

Comme il la suit chez elle, la vieille femme le soigne et lui offre à manger et un lit. Elle le soigne encore quelques jours, puis le conduit dans une maison isolée à la campagne, à une femme voilée, qui se révèle être Cunégonde, ayant survécu au viol et à ses blessures. Après que Candide lui ait raconté toutes ses aventures depuis son départ du château, elle accepte de raconter son histoire.

Chapitre 8

Cunégonde raconte alors l'attaque des Bulgares, le massacre de ses parents et de son frère, et les violences des soldats à son encontre. Elle a été sauvée par un capitaine qui, après l'avoir soignée, l'a emmenée comme prisonnière de guerre. S'étant lassé d'elle, il la vendit à un trafiquant juif, qui l'amena dans la maison où elle se trouve. C'est alors que l'inquisiteur l'aperçut et tenta de la racheter au juif. Un marché est alors conclu entre les deux hommes : Cunégonde et la maison appartiendront à chacun d'eux pour une moitié de la semaine. Le temps passe et Cunégonde est invitée à l'auto-da-fé, organisé par l'inquisiteur. Elle reconnaît alors, horrifiée, Pangloss et Candide parmi les victimes, et envoie sa vieille servante pour qu'elle lui ramène Candide. Après cette histoire, les deux jeunes gens dînent. Arrive alors le seigneur Don Issachar, le trafiquant juif, venu « jouir de ses droits ».

Chapitre 9

Furieux, Don Issachar se jette sur Candide avec un poignard, mais ce dernier tire son épée et le tue. Puis arrive le second maître de la jeune fille, qui subit le même sort,

Candide se doutant qu'il finira exécuté. Et, face à la surprise de Cunégonde, Candide explique : « Ma belle demoiselle, quand on est amoureux, jaloux et fouetté par l'Inquisition, on ne se connaît plus. » Nos trois personnages décident alors de s'enfuir vers Cadix.

Chapitre 10

Durant le voyage, Cunégonde se fait voler ses bijoux. Les voyageurs sont donc obligés de vendre un des chevaux. Arrivés à Cadix, on équipe une flotte, pour envoyer des troupes au Paraguay, et Candide « fait l'exercice bulgare » montrant ainsi ses capacités militaires. Alors promu capitaine d'infanterie, il embarque avec Cunégonde et la vieille. Durant la traversée, Candide affirme que le nouveau monde sera certainement le meilleur des mondes dont parlait Pangloss, ce que Cunégonde espère, car elle a déjà trop souffert, selon elle. La vieille affirme alors qu'elle a certainement été bien plus malheureuse, et commence à raconter son histoire.

Chapitre 11

« La Vieille », dont on ne saura jamais le nom, est en fait la fille naturelle du Pape Urbain X (un Pape imaginaire, pour des raisons de délicatesse, comme le fait remarquer une note de l'auteur) et de la Princesse de Palestrine. Elle dit avoir passé toute son enfance dans de magnifiques palais. Célébrée pour sa grande beauté, elle fut fiancée à un prince, lui aussi riche et beau, mais qui mourut avant leurs noces, empoisonné par une de ses anciennes maîtresses. « La Vieille » embarqua alors avec sa mère pour une de leurs terres, mais elles furent attaquées et capturées par des corsaires durant le voyage et menées en esclavage au Maroc. Leur bateau croisa alors un autre corsaire, et la Vieille fut la seule à réchapper du massacre qui s'ensuivit. C'est alors que seule sur le rivage, elle entendit parler italien, sa langue maternelle.

Chapitre 12

Un Italien l'emmena chez lui et lui raconta sa propre histoire : enfant, il fut capturé pour être émasculé et pour devenir musicien de la chapelle de la Princesse de Palestrine, mère de la Vieille. Il fut ensuite été envoyé au Maroc pour traiter avec le roi, mais, de retour pour l'Italie, il proposa à la Vieille de la ramener chez elle. En réalité, il la conduisit à Alger et la vendit à un dey. La chose faite, la peste frappa Alger et tout le monde en mourut sauf la Vieille, qui guérit miraculeusement, pour être ensuite vendue successivement dans toutes les villes du Proche-Orient jusqu'à Constantinople, où elle devint l'esclave d'un janissaire, qui l'emmena avec son harem pendant la guerre contre les Russes. Assiégés et poussés par la faim, les janissaires décident de manger leurs eunuques, puis les femmes. Cependant, un imam leur conseille de ne manger qu'une fesse de chaque femme et de garder le reste pour plus tard. On procède donc à l'ablation, pour chacune des femmes, y compris pour la Vieille. C'est à ce moment là que les Russes parviennent à entrer : une fois de plus, la Vieille est la seule à survivre et est emmenée en esclavage, à Moscou. Cette fois-ci elle parvint à s'échapper et devint fille de cabaret. Elle a traversé toutes les villes d'Europe avant d'arriver chez Don Issachar. Elle conclut alors son histoire par une réflexion sur le suicide, affirmant que tout homme se considère comme le plus malheureux au monde, mais que bien peu cependant ont le courage de mettre fin à leurs jours.

Chapitre 13

À ce moment-là, le bateau arrive à Buenos-Ayres et les trois personnages rencontrent le gouverneur, Don Fernando d'Ibaraa y Figueroa, y Mascarenes, y Lampourdos, y Souza, qui, voyant Cunégonde, fait aussitôt éloigner Candide pour demander à la jeune femme de l'épouser. La Vieille lui conseille aussitôt de céder, sans pour autant renoncer à Candide. Un vaisseau arrive alors de Cadix, poursuivant l'assassin de l'inquisiteur. Cunégonde se réfugie alors avec la Vieille chez le gouverneur, tandis que Candide est contraint de fuir.

Chapitre 14

On apprend que Candide a emmené avec lui un valet métis nommé Cacambo, très attaché à lui. Ils décident de partir pour leur première destination, le Paraguay. Mais au lieu de combattre les Jésuites de ce pays, ils se réfugient chez eux, et c'est parmi ces Jésuites que Candide retrouve le frère de Cunégonde, qui a survécu, lui aussi, au massacre.

Chapitre 15

Comme il avait été laissé pour mort, le frère de Cunégonde devait être emmené pour être enterré. Mais le Jésuite qui devait procéder à l'inhumation, voyant qu'il était vivant, le recueillit et le soigna. Devenu à son tour Jésuite, le frère embarqua pour le Paraguay, afin de combattre les Espagnols, et devint ainsi par la même occasion colonel. Dans sa joie de retrouver cet ancien camarade, Candide va malheureusement lui révéler que Cunégonde est vivante et qu'il a l'intention de l'épouser. Le colonel jésuite s'offusque de cette mésalliance et menace Candide de son épée, qui tire donc la sienne et le tue. Alors qu'il se lamente d'avoir tué en si peu de temps trois hommes, dont deux prêtres, Cacambo, lui, réagit et donne à son maître les vêtements du mort, pour pouvoir ainsi lui faire quitter la place.

Chapitre 16

Candide et Cacambo, en fuite, arrivent dans une prairie où ils voient deux jeunes filles nues poursuivies par deux singes. Le premier réflexe de Candide est de tuer les singes et il ne comprend pas pourquoi les jeunes filles se mettent alors à se lamenter. Cacambo lui explique alors que ces singes étaient leurs amants, et que cela est bien naturel, étant donné que le singe est un quart d'homme. Candide approuve alors, se rappelant les histoires de Pangloss à propos de ces alliances, qui avaient donné naissance aux Sylphes, Nymphes, Satyres, etc. Les deux personnages s'endorment, mais à leur réveil, ils sont capturés par la tribu autochtone des Oreillons, à qui les deux filles les avaient dénoncés. Les sauvages se préparent alors à les rôtir, se réjouissant de manger du Jésuite, car Candide porte toujours les vêtements de sa victime. Ils seront épargnés grâce à Cacambo, qui révèle la méprise, et après vérification, les Oreillons les libèrent et les couvrent d'honneurs, ce qui laisse Candide penser une nouvelle fois que tout est pour le mieux dans le meilleur des mondes.

Chapitre 17

Les deux personnages décident alors de partir pour la Cayenne. Ils errent longtemps avant d'arriver dans un pays inconnu, singulièrement beau et agréable. On nous raconte alors la rencontre de ces deux étrangers avec des « gueux », que Candide croit être des enfants de rois, car ils sont vêtus de brocarts et jouent avec des pierres précieuses. Ils finissent par comprendre, en rencontrant d'autres habitants, que l'or là-bas, n'a aucune valeur, et Candide se demande alors s'il n'est pas finalement arrivé dans « le meilleur des mondes possibles ».

Chapitre 18

Candide et Cacambo sont menés à un vieillard, qui leur donne quelques explications. Ils se trouvent dans l'ancienne patrie des Incas, que les espagnols nomment El Dorado. Ce pays utopique est ensuite décrit à travers son gouvernement, ses mœurs et sa religion. Ainsi, les habitants de l'El Dorado adorent Dieu toute la journée. Ils ne lui demandent rien car ils ont déjà tout, ils le remercient sans cesse. De plus, il n'y a ni clergé, ni dogme. Candide commence alors à beaucoup admirer ce pays, et à songer que la Westphalie n'était pas le meilleur des mondes : « Il est certain qu'il faut voyager », dit-il. On emmène alors les voyageurs au palais du roi, et ils découvrent ainsi un monarque proche de son peuple, une culture extrêmement raffinée et tournée vers la science, un pays sans tribunal ni prison. Après un mois passé en El Dorado, Candide souhaite retrouver Cunégonde. Le roi les laisse partir en emportant des moutons chargés d'or, ne comprenant pas l'intérêt des étrangers pour « cette boue jaune ».

Chapitre 19

Durant le voyage, nos deux personnages perdent plusieurs de leurs moutons : « Voyez comme les richesses de ce monde sont périssables... » dit Cacambo. Ils parviennent finalement à Surinam, où ils rencontrent un nègre, esclave et mutilé qui raconte la vie de souffrance qu'il mène. Révolté, Candide dit qu'il finira par renoncer à l'optimisme de Pangloss : « C'est, dit-il, la rage de soutenir que tout est bien quand on est mal. » Entrés dans la ville, ils apprennent que Cunégonde est la maîtresse préférée du gouverneur, et Cacambo décide de la racheter, tandis que Candide, toujours recherché, va l'attendre à Venise. Malheureusement pour lui, il commet l'erreur de montrer sa fortune et se fait voler ses moutons par un propriétaire de bateau hollandais, Vanderdendur. Désespéré, il embarque pour la France, en compagnie de l'homme le plus négatif et le plus pessimiste qu'il ait pu rencontrer, Martin.

Chapitre 20

Durant la traversée, Candide et Martin ont l'occasion de parler longuement de leurs souffrances. Martin propose sa conception pessimiste du monde. Il se définit comme un manichéen et croit que Dieu a abandonné ce monde au mal, qui en est donc le seul principe. Candide proteste, mais on assiste alors à un combat naval, à l'issue duquel un des navires est coulé, ce qui confirme la thèse de Martin. Candide aperçoit alors un de ses moutons qui nage et le repêche. Le vaisseau était celui de Vanderdendur, ce qui prouve selon lui que tout n'arrive pas pour le mal. Finalement, le débat se poursuit pendant quinze jours sans aller plus loin.

Chapitre 21

Comme on arrive en France, Martin décrit cette nation comme un pays de bandits et de canaille, où les principales occupations sont l'amour, la médisance, puis les sottises. Il annonce alors son intention d'accompagner Candide en

Italie : « On y reçoit très bien les étrangers quand ils ont beaucoup d'argent : je n'en ai point ; vous en avez, je vous suivrai partout. » Ils poursuivent ainsi leurs raisonnements philosophiques et débarquent à Bordeaux.

Chapitre 22

Candide abandonne son mouton à l'Académie des sciences et part pour Paris avec Martin. Là, il tombe malade et est soigné par un médecin et des dévotes qui sont attirés par son argent. Après avoir failli être tué par le médecin, il guérit. Il découvre tout Paris à travers le théâtre, en compagnie de Martin et d'un abbé périgourdin. L'abbé les mène ensuite au salon d'une certaine marquise de Parolignac, où, après le jeu, on discute de littérature. Puis, Candide cède aux avances de la marquise et lui offre des diamants. Il confie son infidélité à l'abbé périgourdin et lui raconte une partie de ses aventures, ce qui pousse l'abbé à lui tendre le piège suivant, pour couvrir ses dettes de jeu : le lendemain, Candide reçoit une fausse lettre de Cunégonde, lui apprenant qu'elle se trouve à Paris et qu'elle est malade. Il court aussitôt à son hôtel, où il est aussitôt arrêté par un exempt, sur ordre de l'abbé. Candide offre alors des diamants à chacun des hommes, et l'exempt corrompu accepte de l'emmener en Normandie et de lui faire traverser la Manche.

Chapitre 23

La traversée est de nouveau l'occasion d'une discussion philosophique entre Martin et Candide. En approchant des côtes anglaises, ils assistent à une exécution très cérémoniale qui horrifie le jeune héros. Sortant ses diamants, il ordonne au capitaine du vaisseau de faire demi-tour en direction de

Venise. Ainsi se termine le voyage en Angleterre.

Chapitre 24

À Venise, Candide et Martin cherchent Cacambo, en vain. Martin continue d'affirmer qu'il n'y a pas de bonheur sur la Terre. Candide, pour lui prouver le contraire, lui montre alors un couple qui semble heureux et décident de parier dessus. En observant la femme, Candide reconnaît Paquette, ancienne femme de chambre au château, qui après avoir été chassée gagnait sa vie comme prostituée. Frère Giroflée, son amant contraint à devenir moine, est voleur et hypocrite et ne connaît d'autre plaisir que celui des femmes. Martin a donc gagné le pari. Finalement, Candide décide de rencontrer le sénateur Pococuranté, homme ayant la réputation de ne pas connaître le chagrin.

Chapitre 25

Candide et Martin rencontrent Pococuranté, qui vit dans un palais magnifique, entouré des plus belles femmes, mangeant les mets les plus délicats, au milieu d'œuvres d'art parmi les plus subtiles. Il s'avère en réalité que tout cela l'ennuie et ne le satisfait pas. Encore une fois nos deux personnages ne sont pas d'accord. Martin affirme que l'homme est très malheureux, et Candide qu'au contraire il est heureux de pouvoir mépriser ainsi ce dont tout le monde rêve : « Quel grand génie que ce Pococuranté ! Rien ne peut lui plaire. »

Chapitre 26

Un soir, alors que Candide et Martin dînent en compagnie de six étrangers, ils retrouvent Cacambo, qui les prévient de se tenir rapidement prêts à partir. Cacambo est désormais esclave et Cunégonde est à Constantinople. Parmi les convives du repas auquel participe le maître de Cacambo, les six étrangers sont tous rois, détrônés et exilés, et viennent tous voir le carnaval de Venise. Le dernier, roi de Corse, est si pauvre que Candide lui fait l'aumône.

Chapitre 27

Le propriétaire de Cacambo, l'un des rois, s'en retourne vers sa terre natale, Constantinople. Il accepte d'y emmener Candide et Martin. L'ancien valet raconte ensuite qu'après avoir racheté Cunégonde, ils ont été à nouveau capturés par des Turcs qui les détiennent toujours, et qu'enfin Cunégonde est devenue très laide. Malgré tout, Candide veut la retrouver. À l'issue du voyage, il rachète Cacambo, puis, passant devant un groupe de forçats, il reconnaît Pangloss et le baron, frère de Cunégonde, qu'il avait pourtant cru morts, et les rachète.

Chapitre 28

Le chapitre commence avec le récit du baron, guéri de ses blessures, qui, après avoir été nommé à Constantinople, s'est retrouvé dans le même bain qu'un musulman, ce qui lui a valu d'être envoyé aux galères. C'est ensuite au tour de Pangloss de raconter son histoire : il avait été en réalité mal pendu par l'Inquisition, qui ne sait que brûler. Alors qu'on commençait à le disséquer, il s'est réveillé, et fut ainsi sauvé. Puis il devint valet d'un chevalier de Malte et parvint à Constantinople, où une conduite irrespectueuse auprès d'une « jeune dévote très jolie » le fit condamner également aux galères. Malgré tout cela, Pangloss ne renonce toujours pas à son optimisme, auquel Candide ne croit pourtant plus guère.

Chapitre 29

On arrive alors chez le prince, propriétaire de Cunégonde et de la Vieille. Candide est d'abord horrifié par la vision de sa maîtresse brunie, prématurément vieillie, mais finit par racheter les deux femmes ainsi qu'une petite métairie. Alors qu'il se prépare à épouser Cunégonde, bien qu'elle soit laide, pauvre et déchue, son frère persiste à s'opposer à ce mariage.

Chapitre 30

Candide n'a plus très envie d'épouser Cunégonde, mais face au problème posé par le frère, tous sont unanimes : il faut le renvoyer aux galères. Une fois la chose faite, ils demeurent tous ensemble dans la métairie. Candide et Cunégonde finissent par ne plus se supporter, Cacambo se plaint, la Vieille est infirme, Pangloss regrette de ne pas enseigner. La Vieille demande un jour : « Je voudrais savoir lequel est le pire, […] d'éprouver enfin toutes les misères par lesquelles nous avons toutes passées, ou bien de rester ici à ne rien faire ? » Candide répond : « C'est une grande question. » Ils sont alors rejoints par Paquette et Giroflée, qui s'ajoutent à leur petite société. Finalement, les personnages désœuvrés interrogent un derviche très réputé à propos du mal, de l'homme et de ce qu'il doit faire. Le derviche explique que l'homme ne peut rien faire car il n'est qu'une petite souris dans un navire et que le monde n'a pas été créé pour lui. La rencontre avec un Turc fait ensuite comprendre à Candide que le travail éloigne l'ennui, le vice et le besoin. Candide met alors cette maxime en pratique, et la petite métairie devient prospère, ce qui pousse Pangloss à faire remarquer, encore une fois, que tout est pour le mieux. « Cela est bien dit, répondit Candide, mais il faut cultiver notre jardin. »

LES RAISONS
DU SUCCÈS

Voltaire écrit durant sa retraite à Genève, après avoir connu l'échec et la disgrâce auprès des puissants de la Cour de France et de celle de Prusse, dont Frédéric II. Il s'inspire également de l'actualité, et notamment du tremblement de terre à Lisbonne du 1er novembre 1755 et de la Guerre de Sept ans, qui opposa la plupart des pays d'Europe entre eux à partir de 1756. Dans son *Essai sur l'Histoire générale* datant de la même année, il écrit par ailleurs : « Presque toute l'Histoire est une suite d'atrocités inutiles. »

Candide est donc fortement lié à l'actualité. Dans ce conte, Voltaire s'oppose à la philosophie « optimiste » de Leibniz, et notamment sa « Théodicée », théorie qui vise à justifier l'existence du mal et à prouver, en quelque sorte, que Dieu n'en est pas responsable. Le personnage de Pangloss va donc devenir le porte-parole parodique de Leibniz, en clamant partout que tout doit nécessairement arriver pour le bien de tous. Le conte est également considéré par Jean-Jacques Rousseau comme une réponse à la lettre qu'il avait écrite à Voltaire, à propos de la Divine Providence – Divine Providence à laquelle l'auteur de *Candide* ne croyait guère, surtout après le tremblement de terre de Lisbonne, qui est d'ailleurs raconté dans le conte. Voltaire appréciait peu Rousseau, comme on peut le voir dans la citation suivante, tirée d'une de ses lettres au pasteur Jacob Vernes : « Jean-Jacques n'écrit que pour écrire et moi, j'écris pour agir. »

Le texte s'inspire également d'autres thèmes fortement actuels : la guerre et ses atrocités, l'esclavage – tristement banal au XVIIIe siècle, c'est pourquoi il est en permanence évoqué et presque tous les personnages connaissent la servitude à un moment ou à un autre –, la torture, le fanatisme et les abus de pouvoir du clergé, les superstitions et l'injustice. La satire de ces sujets brûlants à travers une ironie violente explique le succès phénoménal du conte, aussi drôle que subversif. On comprend aisément dès les premières pages pour quelles raisons Voltaire l'a fait publier en Suisse, et ne revient en France qu'en 1778, car pas une seule des institutions de l'époque n'est épargnée dans ce bref récit.

LES THÈMES
PRINCIPAUX

Candide est en premier lieu un parcours initiatique, celui d'un jeune homme ingénu, qui, au cours de ses voyages à travers le monde, mûrit et apprend peu à peu à considérer le monde sous son véritable jour. C'est en effet au XVIIIᵉ siècle, en Allemagne, qu'est né le roman d'apprentissage (*Bildungsroman* en allemand), avec *Les Années d'apprentissage de Wilhelm Meister* de Goethe. Ce type de texte très en vogue place le héros, toujours un jeune homme naïf, face au monde et à la dure réalité. Tout au long du récit, on assiste à l'évolution psychologique du personnage qui devient peu à peu adulte au cours de ses voyages, thème essentiel du roman de formation, car c'est le meilleur moyen de « se former », de faire découvrir au héros ce qu'est la vie, le monde et la réalité. Ainsi, le Candide du début – et l'on pourra apprécier le jeu de Voltaire sur l'onomastique – croit sans se poser de question tout ce que dit son maître, le précepteur Pangloss, dont la philosophie se résume à la célèbre phrase : « Tout est pour le mieux dans le meilleur des mondes possibles. » Il faudra le faire chasser de sa baronnie allemande, véritable parodie de l'Eden perdu, passer par de nombreuses péripéties et épreuves, ainsi que par une longue errance, pour que Candide parvienne à remettre en question cette philosophie absurde et creuse, ridiculisée dès le premier chapitre, et pour qu'il puisse enfin penser par lui-même et avec raison.

La philosophie est la deuxième composante essentielle du conte. *Candide* s'oppose à une vision trop optimiste du monde, comme celle de Leibniz, et à l'illusion de la Divine Providence, car Dieu ne semble présent nulle part dans le récit, quelles que soient les souffrances auxquelles sont soumises les personnages. Dans la conclusion, un derviche leur révèle cependant que si Dieu existe, il ne s'intéresse pas pour autant aux malheurs des hommes et n'a pas à intercéder pour eux. Est révélée la conception de Dieu selon Voltaire : une divinité lointaine et détachée des hommes. Pour autant, le penchant pessimiste, représenté dans le conte par le personnage de Martin, le « manichéen », n'est pas préconisé par le philosophe. Ainsi, Martin n'évolue pas, il ne fait que voir le mal partout. Et même s'il s'avère avoir souvent raison, il ne fait rien pour remédier au mal qu'il observe. Il se contente de suivre Candide parce qu'il a de l'argent et le lui dit très franchement. On a donc une figure caricaturale, désillusionnée au point de devenir cynique et passive, ce que ne conseille pas du tout Voltaire, lui qui « écrit pour agir ». Finalement, l'auteur propose une position philosophique de l'entre-deux, en quelque sorte, l'attitude de celui qui n'est plus trompé par l'optimisme, mais qui n'est pas non plus dans le refus total de l'action, comme Martin, qui serait une caricature de stoïcien moderne. « Il faut cultiver notre jardin », explique Candide, devenu sage, à la toute fin du conte. Il ne faut pas attendre d'aide de Dieu et croire que tout est pour le mieux, mais agir. Un vieux Turc explique à Candide : « Le travail éloigne de nous trois grands maux, l'ennui, le vice et le besoin. » Il faut donc avancer et évoluer, ce que seul fera notre héros, les autres personnages représentant surtout des types ou des pensées philosophiques figées.

La question du mal est également centrale. Toutes les souffrances du monde sont évoquées à travers le voyage de Candide, qui sillonne le monde. Partout où il va, il y est confronté, sauf en El Dorado, pays fantasmagorique et utopique, où tout est merveilleux pour deux raisons – il n'y a ni dogme, ni clergé, et l'or n'a aucune valeur. Le héros va cependant quitter ce pays pour retrouver sa maîtresse, Cunégonde. Le mal semble être le principal point commun entre toutes les sociétés que visite Candide et il se présente sous de multiples formes : la guerre, la torture, le fanatisme, l'esclavage, ou encore le tremblement de terre. La nature elle-même semble ne pas échapper au mal. Voltaire se montre ainsi fidèle à sa célèbre devise « Écrasez l'Infâme ! » dont il signait ses lettres, « l'Infâme » désignant le plus souvent le dogme catholique et son clergé, mais aussi l'intolérance ou la barbarie.

On comprend ainsi que *Candide* reste un texte parfaitement représentatif des Lumières, étant donné son caractère condensé, presque encyclopédique, pourrait-on dire. Il combine à la fois l'art de la pointe et de l'ironie, par de nombreux procédés d'antiphrase, une dimension ludique et esthétique, et une portée philosophique et satirique, qui en font un texte extrêmement riche, peut-être le sommet de l'œuvre de Voltaire.

ÉTUDE DU
MOUVEMENT
LITTÉRAIRE

Voltaire est l'un des plus célèbres représentants des Lumières, mouvement culturel et philosophique qui a traversé toute l'Europe au XVIIIe siècle – on le retrouve ainsi sous le nom d'*Aufklärung* en allemand, d'*Enlightenment* en anglais, ou encore d'*Illuminismo* en italien. C'est pourquoi le XVIIIe siècle est souvent appelé « Siècle des Lumières ».

Les philosophes des Lumières se sont baptisés eux-mêmes ainsi. Le mouvement prenait en effet à contre-pied ce que ses représentants appelaient « l'obscurantisme » du Moyen Âge, considéré comme une période noire, dominée par la superstition, le fanatisme et les préjugés. À cela, les Lumières opposaient la raison et la connaissance qu'elle permet d'obtenir. On voit ici que les travaux de Descartes ont fortement inspiré ce mouvement. D'une manière générale, les Humanistes du XVIe siècle peuvent être considérés comme des précurseurs des Lumières, qui s'en réclament d'eux-mêmes, ainsi que des penseurs du XVIIe siècle comme Hobbes ou Locke. Le savoir est en outre considéré comme un tout. Il faut tout savoir, à propos de tout : sciences, philosophie, lettres, langues, histoire, géographie et techniques. C'est ainsi que naît le projet pharaonique de l'*Encyclopédie*, ouvrage dirigé par Diderot et D'Alembert, censé regrouper toutes les connaissances humaines, qui paraît de 1751 à 1766. À cette volonté de rassembler toutes les connaissances humaines s'ajoute un intérêt profond pour l'éducation, de Fontenelle (début du XVIIIe siècle) à Rousseau, qui publie *Émile ou de l'éducation* en 1762, en passant par le roman de formation allemand ou les contes philosophiques de Voltaire. Le conte philosophique, forme très utilisée par Voltaire, Diderot, ou encore Montesquieu (avec les Lettres persanes), croise l'influence classique de Charles Perrault, qui lui donna ses lettres de noblesses à la fin du xviie siècle, et celle des contes orientaux des *Mille et une nuits*, traduits pour la première fois en français par Antoine Galland entre 1704 et 1717 et qui constitue une forme majeure du XVIIIᵉ siècle.

La connaissance, qui n'est cependant pas ouverte à tous, doit permettre de lutter contre « l'Infâme » de Voltaire, les injustices, l'intolérance et le fanatisme, qui seraient héritées de l'époque médiévale. C'est pour cette raison que tous les hommes de lettres au temps des Lumières sont également des penseurs et des philosophes s'étant aussi distingués dans la recherche scientifique – comme Newton, Buffon, Spinoza –, dans la littérature – comme Voltaire, Diderot, Rousseau, Marmontel –, dans la philosophie – comme Kant, ou Hume – et notamment dans la pensée politique – c'est le cas pour Montesquieu, ou encore Rousseau. Les grandes figures des Lumières se considèrent ainsi comme des guides spirituels, des hommes d'action. Leur œuvre est donc marquée par une critique forte de la société, de ses mœurs et de ses injustices, et notamment de la religion catholique. Rares sont ceux qui ne la remettent pas en cause : Voltaire est déiste et refuse le dogmatisme, Spinoza est panthéiste, Diderot est devenu athée, tout comme D'Holbach. S'ils refusent le catholicisme traditionnel, c'est parce que celui-ci est considéré comme responsable de l'obscurantisme, du fanatisme et de l'into-lérance qui ont longtemps dominé le monde. Le clergé est donc fortement critiqué, pour son hypocrisie, son manque de chasteté et sa cupidité. Ces représentations correspondent à une certaine réalité mais restent cependant fort convenues et héritées de la tradition médiévale du fabliau.

Enfin, la pensée des Lumières a eu, par son libéralisme, une influence très importante sur l'Histoire. Que ce soit par des ambassades auprès des « despotes éclairés » comme Fré-déric II de Prusse (Voltaire) et Catherine II de Russie (Dide-rot), ou par leurs écrits, les Lumières ont marqué la politique de leur temps et de la fin du XVIIIᵉ siècle. Ainsi, Locke puis

Montesquieu sont à l'origine de la séparation des pouvoirs, Rousseau et son *Contrat social* inspirèrent fortement les révolutionnaires de 1789, et la Révolution Française n'aurait certainement pas eu lieu sans le mouvement des Lumières. De nombreux textes politiques sont ainsi marqués par cette philosophie des Lumières, de la *Déclaration d'indépendance* américaine à la *Déclaration des droits de l'homme et du citoyen* rédigée en 1789.

Le courant de pensée des Lumières n'est pas spécifiquement littéraire. C'est un mouvement tourné vers le libéralisme et la science, un mouvement qui, malgré la dénonciation de Voltaire dans *Candide*, reste « optimiste », dans la mesure où il croit en la modernité et a foi en un progrès humain, à relier avec le contexte du début de la Révolution Industrielle, qui connaîtra son apogée au XIXe siècle. La conception de l'écriture de ceux que l'on appelle philosophes des Lumières est celle d'une écriture tournée vers l'action, qui doit être efficace et « engagée », même si le terme peut sembler anachronique. C'est pour cette raison que l'écriture de Rousseau, qui demeure très subjective, n'est pas bien vue des autres penseurs, notamment de Voltaire, et qu'elle est souvent considérée comme annonciatrice du courant romantique, qui s'opposera sur de nombreux points aux Lumières.

DANS LA MÊME COLLECTION
(par ordre alphabétique)

- **Anonyme**, *La Farce de Maître Pathelin*
- **Anouilh**, *Antigone*
- **Aragon**, *Aurélien*
- **Aragon**, *Le Paysan de Paris*
- **Austen**, *Raison et Sentiments*
- **Balzac**, *Illusions perdues*
- **Balzac**, *La Femme de trente ans*
- **Balzac**, *Le Colonel Chabert*
- **Balzac**, *Le Lys dans la vallée*
- **Balzac**, *Le Père Goriot*
- **Barbey d'Aurevilly**, *L'Ensorcelée*
- **Barbey d'Aurevilly**, *Les Diaboliques*
- **Bataille**, *Ma mère*
- **Baudelaire**, *Les Fleurs du Mal*
- **Baudelaire**, *Petits poèmes en prose*
- **Beaumarchais**, *Le Barbier de Séville*
- **Beaumarchais**, *Le Mariage de Figaro*
- **Beauvoir**, *Mémoires d'une jeune fille rangée*
- **Beckett**, *En attendant Godot*
- **Beckett**, *Fin de partie*
- **Brecht**, *La Noce*
- **Brecht**, *La Résistible ascension d'Arturo Ui*
- **Brecht**, *Mère Courage et ses enfants*
- **Breton**, *Nadja*
- **Brontë**, *Jane Eyre*
- **Camus**, *L'Étranger*
- **Carroll**, *Alice au pays des merveilles*
- **Céline**, *Mort à crédit*

- **Céline**, *Voyage au bout de la nuit*
- **Chateaubriand**, *Atala*
- **Chateaubriand**, *René*
- **Chrétien de Troyes**, *Perceval ou le conte du Graal*
- **Chrétien de Troyes**, *Yvain ou le Chevalier au lion*
- **Cocteau**, *La Machine infernale*
- **Cocteau**, *Les Enfants terribles*
- **Colette**, *Le Blé en herbe*
- **Corneille**, *Le Cid*
- **Crébillon fils**, *Les Égarements du cœur et de l'esprit*
- **Defoe**, *Robinson Crusoé*
- **Dickens**, *Oliver Twist*
- **Du Bellay**, *Les Regrets*
- **Dumas**, *Henri III et sa cour*
- **Duras**, *L'Amant*
- **Duras**, *La Pluie d'été*
- **Duras**, *Un barrage contre le Pacifique*
- **Flaubert**, *Bouvard et Pécuchet*
- **Flaubert**, *L'Éducation sentimentale*
- **Flaubert**, *Madame Bovary*
- **Flaubert**, *Salammbô*
- **Gary**, *La Vie devant soi*
- **Giraudoux**, *Électre*
- **Giraudoux**, *La Guerre de Troie n'aura pas lieu*
- **Gogol**, *Le Mariage*
- **Homère**, *L'Odyssée*
- **Hugo**, *Hernani*
- **Hugo**, *Les Misérables*
- **Hugo**, *Notre-Dame de Paris*
- **Huxley**, *Le Meilleur des mondes*
- **Jaccottet**, *À la lumière d'hiver*
- **James**, *Une vie à Londres*
- **Jarry**, *Ubu roi*

- **Kafka**, *La Métamorphose*
- **Kerouac**, *Sur la route*
- **Kessel**, *Le Lion*
- **La Fayette**, *La Princesse de Clèves*
- **Le Clézio**, *Mondo et autres histoires*
- **Levi**, *Si c'est un homme*
- **London**, *Croc-Blanc*
- **London**, *L'Appel de la forêt*
- **Maupassant**, *Boule de suif*
- **Maupassant**, *Le Horla*
- **Maupassant**, *Une vie*
- **Molière**, *Amphitryon*
- **Molière**, *Dom Juan*
- **Molière**, *L'Avare*
- **Molière**, *Le Malade imaginaire*
- **Molière**, *Le Tartuffe*
- **Molière**, *Les Fourberies de Scapin*
- **Musset**, *Les Caprices de Marianne*
- **Musset**, *Lorenzaccio*
- **Musset**, *On ne badine pas avec l'amour*
- **Perec**, *La Disparition*
- **Perec**, *Les Choses*
- **Perrault**, *Contes*
- **Prévert**, *Paroles*
- **Prévost**, *Manon Lescaut*
- **Proust**, *À l'ombre des jeunes filles en fleurs*
- **Proust**, *Albertine disparue*
- **Proust**, *Du côté de chez Swann*
- **Proust**, *Le Côté de Guermantes*
- **Proust**, *Le Temps retrouvé*
- **Proust**, *Sodome et Gomorrhe*
- **Proust**, *Un amour de Swann*
- **Queneau**, *Exercices de style*

- **Quignard**, *Tous les matins du monde*
- **Rabelais**, *Gargantua*
- **Rabelais**, *Pantagruel*
- **Racine**, *Andromaque*
- **Racine**, *Bérénice*
- **Racine**, *Britannicus*
- **Racine**, *Phèdre*
- **Renard**, *Poil de carotte*
- **Rimbaud**, *Une saison en enfer*
- **Sagan**, *Bonjour tristesse*
- **Saint-Exupéry**, *Le Petit Prince*
- **Sarraute**, *Enfance*
- **Sarraute**, *Tropismes*
- **Sartre**, *Huis clos*
- **Sartre**, *La Nausée*
- **Senghor**, *La Belle histoire de Leuk-le-lièvre*
- **Shakespeare**, *Roméo et Juliette*
- **Steinbeck**, *Les Raisins de la colère*
- **Stendhal**, *La Chartreuse de Parme*
- **Stendhal**, *Le Rouge et le Noir*
- **Verlaine**, *Romances sans paroles*
- **Verne**, *Une ville flottante*
- **Verne**, *Voyage au centre de la Terre*
- **Vian**, *J'irai cracher sur vos tombes*
- **Vian**, *L'Arrache-cœur*
- **Vian**, *L'Écume des jours*
- **Voltaire**, *Micromégas*
- **Zola**, *Au Bonheur des Dames*
- **Zola**, *Germinal*
- **Zola**, *L'Argent*
- **Zola**, *L'Assommoir*
- **Zola**, *La Bête humaine*
- **Zola**, *Nana*